LÉGENDES DU CŒUR DU QUÉBEC

LÉGENDES DU CŒUR DU QUÉBEC

JEAN-CLAUDE DUPONT

7e édition 1992

LES ÉDITIONS DUPONT
2 700 rue Mont-Joli,
Sainte-Foy, Québec
G1V 1C8
Tél.: (418) 659-1321

Dans la même collection:

1. *Légendes du Saint-Laurent, I*
2. *Légendes du Saint-Laurent, II*
3. *Légendes du Cœur du Québec*
4. *Légendes de l'Amérique française*
5. *Légendes des villages*

On peut se procurer les diapositives en couleur des tableaux représentés dans ces fascicules.

Dépôt légal, troisième trimestre, 1985.
Bibliothèque nationale
du Québec
et
Bibliothèque nationale
du Canada

ISBN: 2-9801550-4-7

PRÉSENTATION

La légende, qui se veut toujours le récit d'un fait véridique, était, jadis du moins, objet de croyance. Elle se présente avec quelque apparence de fondement historique auquel vient souvent s'ajouter une situation géographique : «C'est arrivé lors de la construction de l'église de Baie-du-Fèvre»...

La légende prend sa source dans les mystérieux lointains des origines de la pensée humaine et dans les accidents historiques ou les faits de la vie quotidienne; chaque informateur y ajoute un détail, un nouveau développement, son expérience personnelle, des détails précis... dans le but de convaincre le sceptique. Et c'est ainsi que, transmise de mémoire à travers les siècles, elle est en perpétuel devenir.

Parmi ces récits passés qui vivent dans la mémoire du présent, nous avons retenu ici ceux dont le cadre se situe dans la région du «Coeur du Québec». L'ordre de présentation des légendes qui préside suit un parcours géographique arbitraire; nous avons retenu le fleuve Saint-Laurent comme point de départ. Nous nous sommes donc d'abord dirigé du Centre du Québec vers les limites sud de la région culturelle des Bois-Francs, pour repartir ensuite de la rive nord du fleuve et nous rendre jusque dans le Haut-Saint-Maurice.

Le Centre du Québec, cette région de «terres basses» à proximité du fleuve, se situe à mi-chemin entre Québec et Montréal; il englobe les comtés de Nicolet et de Drummond, ainsi qu'une partie des comtés de Lotbinière, de Mégantic et d'Arthabaska. C'est vers 1665 que les premiers habitants s'y installèrent. En 1775, plusieurs familles acadiennes qui avaient subi la Déportation vinrent les rejoindre. Puis, au début du XIXe siècle, des immigrants américains arrivèrent aussi s'y établir. Déjà, dans le dernier quart du XVIIe siècle et au début du XVIIIe siècle, des Abénakis étaient venus se fixer le long de la rivière Saint-François; ils arrivaient de l'Acadie et de l'Etat du Maine après de courts séjours dans les régions de Québec et de la Beauce. De nos jours, on les retrouve à Odanak et à Bécancour.

Grâce aux moyens de transport et de communication que furent les rivières Bécancour et Nicolet, d'importants moulins à scie s'y développèrent et regroupèrent la population. Peu à peu la transformation des textiles et l'exploitation laitière s'ajoutèrent aussi à l'agriculture et à la foresterie.

La région des Bois-Francs fait suite, vers le sud, à celle du Centre du Québec. Lorsque les anciennes paroisses eurent occupé en grande partie les rives du fleuve, la population s'étendit vers les territoires non exploités des Bois-Francs, ainsi désignés à cause des essences de bois qui croissent sur le territoire. Ces lieux furent colonisés à partir des années 1825, en grande partie par des Canadiens français originaires de Nicolet et de Bécancour. Cette zone de transition entre les basses terres du Saint-Laurent et les premières collines des Appalaches comportent, en tout ou en partie, les comtés d'Arthabaska, de Mégantic et de Yamaska.

Du côté nord du fleuve, le bassin du Saint-Maurice s'étend sur plus de 15 000 milles carrés de terre, de forêt et de cours d'eau. Les travailleurs de la forêt et les draveurs sur le Saint-Maurice, de même que les trappeurs et les commerçants de fourrures furent au centre des activités qui marquèrent le développement économique de la région. C'est près des Trois-Rivières que les Forges Saint-Maurice, première industrie sidérurgique établie au Canada, transformaient le fer en objets utilitaires. C'est dans le Haut-Saint-Maurice que la nation amérindienne attikamèque est installée, entre autres dans les réserves de Manouan, de Weymontachingue et de Obidjuan.

On ne peut manquer de faire des liens entre le contenu des légendes relevées et le genre de vie et les préoccupations économiques de ces différents milieux humains. Les travailleurs en forêt et les artisans du fer tout comme les premiers défricheurs, sont à la source de nombreux récits. De même, les légendes amérindiennes, attikamèques et abénaquises, sont très liées aux préoccupations matérielles et spirituelles des groupes où elles se sont transmises.

Les légendes amérindiennes, par leur contenu mythique, tentent d'apporter des réponses à des phénomènes comme la création des êtres et des choses, ou de décrire des événements anciens à la source de réalités contemporaines. C'est ainsi que la formation des tribus et leur désignation, de même que les noms de famille, y trouvent leur explication. D'autres récits décrivent aussi les comportements qui doivent présider à la vie harmonieuse au sein des humains et de la nature.

Parmi les êtres mystérieux, malfaisants pour la plupart, véhiculés par les récits canadiens-français de cette région, mentionnons les sorciers, les diables de tout acabit, les loups-garous, les feux-follets, les lutins, etc. Des personnages humains ou semi-humains, alliant force physique et capacités magico-religieuses, se dresseront contre ces personnages fantastiques d'un monde irréel pour défendre les humains.

Que tous ceux qui ont participé à cette réalisation trouvent ici l'expression des remerciements de l'auteur, particulièrement madame Nicole O'Bonsawin, conservatrice au musée d'Odanak, qui nous a suggéré de préparer cette série de tableaux d'expression populaire inspirés des récits légendaires de la région du Cœur du Québec.

Merci également à monsieur Michel Noël, directeur de la Direction régionale du Nouveau-Québec et service aux Autochtones, qui a mis à notre disposition son fonds de légendes attikamèques. Nous ne saurions manquer de souligner aussi l'apport documentaire des Archives du Centre de documentation de Parcs Canada à Québec, celui des Archives de folklore de l'Université Laval, à Sainte-Foy, de même que celui de la Société historique du Centre du Québec, Inc., à Drummondville.

1.   Les lutins des Îles
huile sur toile; 18 X 24; 1986

La nuit, des petits êtres fantastiques volent les chevaux
dans les écuries et leur tressent la crinière et la queue.

SOREL

Des chasseurs de canards qui s'étaient attardés le soir dans les terrains bas ont vu passer, «à la fine épouvante», des chevaux montés par des lutins. Ces petits êtres, qui aimaient beaucoup les chevaux, entraient dans les étables la nuit et passaient de longues heures à lustrer le poil des bêtes et à leur donner des plats d'avoine chaude. Comme il était difficile pour eux de monter sur les chevaux, ils commençaient par tresser la queue de l'animal; ensuite, ils n'avaient plus qu'à se cramponner les orteils dans les mailles du tressage pour parvenir sur le dos du cheval.

Les charretiers n'aimaient guère ces petits ratoureurs car le jour, les chevaux avaient parfois de la difficulté à s'acquitter de leur tâche, les lutins les ayant chevauchés une bonne partie de la nuit. Heureusement, les hommes connaissaient des moyens pour les empêcher d'entrer dans les écuries. Ainsi, ils étendaient de la chaux vive devant la porte du bâtiment et les lutins ne s'en approchaient pas, de peur de s'y brûler les orteils. D'autres préféraient les éloigner en plantant une faucille au-dessus de la porte de l'étable: la lune qui se reflétait sur la lame les aveuglait.

Mais tous les charretiers ne détestaient pas les lutins; ainsi le grand Thomas, raconte-t-on, allait leur placer une assiette de galettes à la mélasse sur la crèche de son cheval. Un matin il aurait, paraît-il, trouvé une pépite d'or grosse comme le poing dans l'assiette.

On prétend que dans les «gros mois d'hiver», les lutins passent la journée à dormir enterrés dans le foin des tasseries. Lorsqu'il a appris cela, mon grand-père a cessé de mettre ses balles de tabac à sécher dans le foin; il craignait que les lutins, en voulant fumer, mettent le feu à la grange.

9

2.   Le cheval changé en serpent
huile sur toile; 8 X 10; 1985

Le cheval qui a charroyé la pierre de l'église
se transforme en serpent.

SAINT-PIERRE-DE-SOREL

Il n'y a pas toujours eu une église à Saint-Pierre de Sorel; les gens se rendaient ailleurs pour faire baptiser les enfants, se marier ou se faire enterrer. Un jour cependant, ils décidèrent d'en bâtir une, mais ils se demandaient bien comment charroyer la pierre, car les chevaux étaient rares dans ce temps-là.

Un matin, de bonne heure, le curé vit sur la grève un beau cheval flambant noir. Comme il lui avait passé la main sur la croupe et que le cheval n'avait pas bougé d'un poil, il l'amena au village.

Quand les hommes arrivèrent pour travailler, le curé leur dit: «Tiens, je vous ai fait venir un maître cheval; servez-vous-en pour charroyer la pierre, mais ne le débridez jamais; même pas pour le faire boire».

D'un voyage à l'autre, les hommes comblaient la charge, à tel point que les voitures n'étaient pas assez fortes pour résister. C'était toujours le même homme qui le menait, mais un jour qu'il n'avait pas pu venir travailler, celui qui prit sa place pour mener le cheval n'écouta pas les recommandations du curé. Quand il amena le cheval près du fleuve pour le faire boire, celui-ci refusa; le gars se dit alors: «je vais le débrider, c'est sa bride qui le «bâdre». Comme il la débouclait, *pouich*! le cheval se transforma en serpent et entra dans les eaux du fleuve.

Les hommes continuèrent de maçonner l'église, mais il manque toujours une pierre sur la façade.

3.   Le trésor volé par le diable
huile sur toile; 12 X 16; 1985

Le diable garde les trésors cachés
et s'en accapare si on les trouve.

LONGUE-POINTE (LAC SAINT-PIERRE)

Depuis des années, le bruit courait qu'il y avait un trésor caché à la Longue-Pointe, au bord du lac Saint-Pierre, mais que le diable en avait la garde. On prétendait que c'était un riche célibataire anglais qui l'avait enterré là en attendant que sa parenté vienne le récupérer. Un soir, trois grands amis qui avaient consommé un peu trop de vin décidèrent de s'y rendre avec une hart de coudrier qui, selon la tradition, se mettait à bouger lorsqu'elle était placée au-dessus d'un trésor.

Ils se promenaient déjà depuis une bonne heure à la noirceur sur le bord du lac lorsque la hart commença à se tordre dans leurs mains. Aussitôt, à grands coups de pelle, ils se mirent à creuser. Aucun doute qu'ils allaient tirer profit de leur fouille puisqu'ils avaient pris la précaution d'amener une chandelle bénite, comme le recommandait *le Petit Albert*; il ne fallait surtout pas non plus parler tandis que l'on creusait, cela aussi c'était écrit dans ce petit livre de magie noire.

Soudain, une des pelles frappa durement un objet en fer et il s'en dégagea un paquet d'étincelles qui les fit frémir de peur. Mais ils se ressaisirent vite car c'était aussi l'annonce qu'il y avait là un objet métallique.

Ils redoublèrent donc d'ardeur, et purent bientôt distinguer l'anse d'un grand chaudron de fer. Ils jetèrent alors leur pelle au loin, lançant un cri de joie. Mais avant qu'ils aient pu ajouter une parole, le chaudron rempli d'or surgit de lui-même hors du trou, emporté dans les airs par un grand diable qui fit entendre un ricanement moqueur.

4. L'enfant adopté par des ours
huile sur toile; 10 X 14; 1985

Un enfant abénakis perdu par ses parents
est retrouvé dans une grotte d'ours.

ODANAK

Il y a de cela longtemps, un père, sa femme et leur petit garçon abandonnèrent leur village et partirent en canot pour se rendre au Canada. Sur leur route, pour franchir une série de rapides, ils durent portager leur canot sur leur dos. Sans qu'ils s'en rendent compte, le petit garçon s'éloigna d'eux et il se perdit en forêt. Les parents parvenus au village, tous les habitants se mirent de la partie pour le retrouver. On le chercha tout l'hiver mais il demeurait introuvable. Au printemps, ils découvrirent finalement des pistes d'ours autour de petites flèches de bois destinées à attraper des poissons; ils conclurent alors que l'enfant avait été adopté par des ours.

Un homme lâche, qui n'avait pas participé à la recherche et qu'on ridiculisait dans le village, partit alors et se rendit à la grotte d'un ours. Arrivé là, il frappa avec son arc sur les pierres de l'entrée. Aussitôt une famille d'ours, le père, la mère et leur petit, surgirent de leur cachette. Le chasseur, après avoir abattu les trois ours, entra dans la caverne. Il trouva alors, tout apeuré dans un coin, l'enfant qui pleurait, demandant ses parents.

Déjà le garçon commençait à devenir un ours; de longs poils lui poussaient sur le dos et les épaules et il tournait lentement la tête à la manière d'un ours. Plus tard pourtant, il se maria et fut heureux avec sa femme et sa petite fille. Il devint le plus grand chasseur de son village, puisqu'il était même capable de sentir la présence des animaux qui étaient hors de sa vue.

5. La naissance des esturgeons
huile sur toile; 9 X 12; 1985

Le grand manitou des Abénakis taille le rocher
et laisse passer le père des esturgeons.

Il existe un grand lac d'où coule une rivière pleine de beaux gros esturgeons et c'est de là qu'originent ces poissons dorés.

Voici leur histoire: La terre était déjà peuplée d'ours, de tortues et d'orignaux, et dans les eaux l'on trouvait toutes sortes de poissons mais on ne connaissait pas encore les esturgeons.

Un jour un Indien, Sokalexis, debout sur les rives du lac, se peignit le corps de raies de couleur et cria à qui voulait l'entendre qu'il était un esturgeon. Puis il sauta à l'eau et disparut. Il ne revint jamais sous sa forme humaine, et c'est lui qui est le père de tous les esturgeons.

Il n'y avait cependant des esturgeons que dans ce grand lac et les pêcheurs éloignés souhaitaient qu'ils se répandent dans les rivières. Alors, un grand manitou d'une force remarquable, s'empara d'une énorme hache, posa ses pieds sur le rocher en bordure du lac, et, en quelques coups à même la pierre, il tailla entre ses jambes une décharge d'où l'eau s'écoula pour former un ruisseau. Aussitôt, Sokalexis, le bel esturgeon, s'échappa du lac et franchit le passage devenu un cours d'eau.

C'est depuis ce temps-là qu'il y a des esturgeons dans les eaux de la rivière Kennebec. Et l'on prétend même qu'il y en aurait maintenant dans plusieurs autres rivières: ils y seraient passés le printemps, alors que les cours d'eau débordent.

6. La chasse-galerie sur le village
huile sur toile; 18 X 24; 1984

Un canot chargé de bûcherons
vole au-dessus du village.

Un soir d'hiver, alors que la neige craquait sous ses raquettes, Edouard revenait d'une visite de ses pièges. Il distinguait les lumières du village quand il entendit un coup de vent qui tourbillonnait dans le ciel. Sur le coup, il pensa que c'était un vol d'outardes attardées qui traversaient les terres en allant vers le fleuve. Puis, réalisant qu'un choeur chantait dans les airs, la peur le prit et il ploya les jambes pour se garantir.

C'était un grand canot chargé d'hommes et les gars ramaient comme s'ils descendaient une rivière. Le canot était relevé du devant car un grand homme se tenait debout en arrière, sur la pince. Il pensa d'abord que ce devait être le maître du groupe, mais il s'aperçut vite que c'était plutôt un diable qui menait le canot.

L'équipage filait franc sud, mais un mille avant le village il changea de cap pour ne pas passer au-dessus de l'église. Un peu plus loin, les voyageurs fantastiques reprirent leur premier rang de vent et il les vit s'en aller au-dessus des bois.

Tout d'un coup ils commencèrent à zigzaguer, comme si une bourrasque leur barrait la route, et le canot se mâta dans les airs, se vidant de son monde. On voyait les hommes voltiger comme des mouches et l'embarcation piqua à travers les arbres.

Les hommes se relevèrent pourtant, marchèrent en boitant ou en se tenant la tête ou le bas du ventre. Ce n'était pas des gens des alentours, mais des figures étrangères; probablement des bûcherons que le diable avait pris en charge pour les conduire auprès de leur blonde.

7.   Le feu-follet du canotier
huile sur toile; 11 X 14; 1985

Un canotier revenant du moulin à farine
est attaqué par un feu-follet.

NICOLET

Un soir, le père Dargis revenait avec son canot chargé de sacs de farine du Cap-de-la-Madeleine. Il n'avait pas l'habitude de traverser le fleuve à une heure aussi tardive, mais il avait dû attendre plus longtemps que prévu au moulin: les meules n'avaient pas été piquées depuis un mois et elles mettaient du temps à moudre le blé en farine.

Il venait d'atteindre le chenal lorsqu'il se rendit compte que son canot était immobilisé dans la nuit noire. Comme c'était un homme fort et hardi, il ne se laissa pas effrayer pour si peu. Il mit toute son ardeur à ramer mais, peine perdue, une force mystérieuse retenait son canot. Alors, comme pour se rassurer, il lança quelques injures en regardant ses avirons et donna un coup de pied à un sac de farine.

Il entendit aussitôt une suite rapide de bruits qui l'environnaient de toutes parts, comme les claquements rapides d'une dizaine de crécelles. Puis des flammèches se mirent à courir sur la bordure de son canot et un gros feu-follet ayant la forme d'une dinde couroussée apparut sur la pince avant de son embarcation. Il tenta alors de le frapper avec un de ses avirons, mais une force le souleva de terre et faillit le jeter en bas de son canot.

Le lendemain matin, lorsqu'il réussit à atteindre le rivage, on raconte qu'il avait tout le visage et les mains égratignés. Ce fut son dernier voyage de nuit sur le fleuve. S'il arrivait que le meunier ne puisse moudre son grain de clarté, il passait la nuit à dormir sous les combles du moulin à farine, Les souris qui y vivaient en permanence le dérangeaient bien moins que les feux-follets du fleuve.

8.   La grand-mère qui délivre ses voisins
huile sur toile; 9 X 12; 1986

Deux hommes transformés en loups-garous sont délivrés
par une grand-mère qui veut défendre son mari.

SAINT-GREGOIRE

Une fois, mes grands-parents revenaient, en voiture à cheval, d'une soirée de danse. Ils avaient veillé un peu tard et mon grand-père faisait trotter son cheval pour rattraper le temps perdu. Ils n'étaient pas trop rassurés car à cette époque-là, les curés défendaient la danse et il arrivait parfois des incidents au retour de ces soirées. Comme de fait, en passant devant une croix de chemin située non loin de leur maison, deux gros chiens noirs sautèrent dans leur «borleau». Ces animaux-là devaient être bien lourds à transporter car le cheval avait maintenant peine à tirer la voiture.

Enfin arrivé chez lui, le vieux se dépêcha de dételer son cheval puis il s'approcha de la voiture et se mit dans la tête de jeter les chiens en bas du «borleau». Pas moyen de les faire bouger. Mon grand-père souleva alors la voiture et la versa sur le côté. Furieux, les chiens se mirent à pourchasser mon grand-père qui eut tout juste le temps de grimper sur le toit de la grange. Ils allaient réussir à l'agripper pour le projeter en bas du bâtiment, quand il se décida à appeler ma grand-mère à son secours. Heureusement, celle-ci s'empara d'une fourche et réussit à piquer le bout du nez des loups-garous. Aussitôt, les bêtes disparurent et à leur place surgirent deux de leurs voisins. Mon grand-père les garda à coucher et les amena se confesser le lendemain matin. Il les reconduisit ensuite à leur épouse qui remercièrent mon grand-père d'avoir délivré leur mari qui couraient le loup-garou depuis sept ans.

Puis, quelques jours plus tard, ma grand-mère est allée rencontrer ces «créatures-là»; elle leur a dit de ne pas se gêner, de se servir de la fourche au besoin si leur mari recommencaient à «courir le loup-garou».

9. Le loup-garou des campagnards
huile sur toile; 14 X 18; 1985

Un animal qui marche debout
pourchasse les gens attardés sur la route.

BECANCOUR

Tante Anna, partie pour les «Etats» depuis une bonne dizaine d'années, était arrivée dans la famille Boudreault avec des valises pleines de cadeaux, des portraits de zing, des coupons d'indienne de toutes couleurs, des boîtes de fard pour les joues, des camées, des montres de poche en or munies de locket, des pipes en écume de mer et surtout, une bible en couleur.

Ce soir-là son neveu Albert, accompagné de son épouse et de ses enfants, avait, pour aller la voir, négligé de suivre la retraite fermée pour «homme marié» qu'un prédicateur de Québec était venu donner à l'église paroissiale. Comme s'il avait voulu braver le bon Dieu encore davantage, il avait parmi les cadeaux de la tante Anna, choisi la bible, livre qu'il était alors défendu de lire.

La veillée se passa comme un charme; même qu'on avait invité un violoneux pour que tante Anna puisse y aller d'une gigue simple.

Vers onze heures, Albert et les siens reprirent à pied le chemin de retour: une marche de trois milles. Ils n'avaient pas fait plus de quatre arpents quand ils s'aperçurent qu'un grand chien noir qui marchait debout les suivait, se faufilant le long de la clôture. Ils avaient tellement peur qu'ils firent le reste du trajet à la course, d'autant plus qu'à la fin, l'animal les suivait de près. Lorsqu'ils atteignirent la montée de la maison et qu'Albert se sentit plus rassuré pour les siens, il s'empara d'un piquet de clôture et le lança vers le grand chien noir qui laissa échapper un hurlement de douleur. Aussitôt, un homme fut là, debout, ébêté, à la place de l'animal. Ni Albert, ni les membres de sa famille ne soufflèrent mot de cette aventure; et pour cause, car ils avaient reconnu l'homme, un de leur voisin qui «courait le loup-garou» les soirs de pleine lune.

10. La famille transformée en baleines
huile sur toile; 10 X 14; 1985

Un père abénakis et ses filles privés d'eau à boire
se transforment en baleines.

BÉCANCOUR

Jadis, une grenouille géante terrorisait le pays et desséchait tous les cours d'eau, n'en conservant pour elle que quelques-uns où coulait une belle eau claire. Personne n'avait réussi à la faire mourir. Finalement, le grand chef débarrassa le pays de la grenouille qui empêchait les Abénakis de se désaltérer en jetant un arbre sur elle. Aussitôt, de chacune des branches de l'arbre surgit une rivière.

Durant cette disette d'eau, une tribu entière s'était mise en marche, de nuit, pour trouver un cours d'eau douce. Ils partirent si vite qu'ils en oublièrent au village un père et ses deux filles. Lorsque ceux-ci s'éveillèrent, ils s'aperçurent qu'ils avaient été abandonnés par la tribu; ils se mirent alors à suivre les traces des leurs pour tâcher de les rattraper. Malheureusement, les pistes les amenèrent à la mer où l'eau était salée. Arrivés à cet endroit, exténués, ils réalisèrent qu'ils n'avaient plus les forces nécessaires pour aller plus loin.

C'est alors qu'ils descendirent, l'un derrière l'autre, dans ces eaux, et qu'ils en émergèrent ensuite, transformés en baleines.

Il ne manque pas de gens pour affirmer que depuis, on les a vus, souvent, en bordure de la mer, lançant de forts jets d'eau sur le rivage. Mais elles ne viennent plus se chauffer au soleil sur les galets; mon grand-père prétend qu'elles craignent de s'accrocher par le ventre sur d'anciens crochets à marsouins.

11.   Les souliers du géant Mailhot
huile sur toile; 8 X 10; 1985

Les enfants du géant Mailhot
glissent dans les souliers de leur père.

DESCHAILLONS

Modeste Mailhot mesurait sept pieds et quatre pouces de hauteur, quatre pieds de tour de cuisse et trois pieds six pouces de tour de mollet. Il avait un ventre de sept pieds de circonférence et pesait six cent dix-neuf livres. Ses pieds étaient si longs qu'en hiver ses enfants glissaient dans ses souliers.

Lorsqu'il mourut en 1834, âgé de soixante-huit ans, il fallut douze de ses voisins pour porter son cercueil en terre.

On raconte qu'un jour, des hommes qui travaillaient à construire la route à Deschaillons s'étaient heurtés à une grosse pierre qu'ils voulaient enlever du chemin; ils avaient tenté sans succès de la bouger, même en y attelant deux chevaux. Ils décidèrent donc d'aller dîner et de s'y attaquer ensuite.

Mais Modeste Mailhot, le géant de Deschaillons, vint à passer par là à ce moment et leur joua un tour: il s'adossa à la pierre et la roula hors de la route. Puis, pour surprendre davantage les travailleurs de la voirie, il inscrivit son nom dans la pierre au moyen de ses doigts.

Homme d'une grande douceur, il n'acceptait cependant pas la raillerie. Un jour que des pêcheurs n'arrivaient pas à monter sur la rive leur barque remplie de poissons, Modeste s'y accrocha et la tira sur la terre ferme. Un des pêcheurs ayant dit: «À grosses forces, petite tête», le géant posa le pied devant la barque et la fit reculer à perte de vue sur le fleuve. Puis il leur dit: «À plusieurs têtes, petites forces; allez chercher votre poisson au large».

Une autre fois, son voisin Adam, renommé lui aussi pour sa force physique, lui reprocha de ne point vouloir se mesurer à lui. Mailhot lui répondit: «Va à confesse et reviens avec ton offre, je t'enverrai au ciel».

12. La jeune fille exorcisée par le curé
huile sur toile; 11 X 14; 1985

Le curé du village fait sortir le démon
du corps d'une jeune fille.

SAINT-ZEPHIRIN

Le père Benoît trouvait que depuis quelque temps sa fille avait des comportements étranges; le dernier voyage qu'il avait fait avec elle en voiture avait d'ailleurs confirmé ses doutes. Comme ils circulaient alors dans une forêt en direction du village, elle demanda à son père de s'arrêter pour faire monter dans la voiture un chien noir qui sortait du bois. Dès qu'il fut installé avec eux, tout l'équipage se mit à flotter dans les airs. Le père, apeuré, jeta immédiatement le chien hors de la voiture qui, du coup, retomba par terre.

Arrivé au village, le père Benoît se rendit avertir le curé de ce qui se passait. Le soir même, le curé arriva chez les Benoît avec tout l'attirail nécessaire pour exorciser. De plus, il exigea qu'on aille lui chercher un jeune cheval noir de six mois, pas plus, et qu'on le monte au premier étage, dans la chambre de la possédée; ce qui ne se fit pas sans misère.

Il dut se passer des choses bien étranges au moment où le diable sortit de la fille, car le cheval hennit et rua avec ardeur; puis soudain, par la fenêtre, on vit bondir le poulain hors de la maison pour aller atterrir à une centaine de pieds plus loin avant de s'élancer dans les eaux du Lac Saint-Pierre. Il se produisit alors un bruit semblable à celui du fer rouge que le forgeron jette dans un baquet d'eau de forge, puis ce fut le silence. Le cheval était mort. La jeune fille, elle, descendit en souriant de sa chambre avec le curé, et elle remercia son père de l'avoir fait délivrer. Elle a dû passer une bien bonne vie par la suite, puisqu'une de mes tantes qui est morte religieuse, avait prononcé ses vœux en même temps que la fille de cette ancienne possédée.

13.   Le feu-follet de la grande côte
huile sur toile; 12 X 16; 1985

Une boule de feu pourchasse les passants;
il en sort un homme nu.

SAINT-CELESTIN

La grande côte de Saint-Célestin était un lieu peu rassurant tard dans la soirée; certains y avaient en effet été attaqués par des esprits malveillants qui empêchaient les chevaux de passer. Le défunt Charles avait même dû, une nuit, descendre de sa voiture pour ranger un cercueil qui bloquait sa route. Mais l'histoire de la boule de feu, mon grand-père nous l'a toujours racontée comme «une pure vérité».

Alors qu'il avait été voir grand-mère pour célébrer leur enterrement de vie de jeunesse — ils devaient se marier dans la semaine — grand-père entreprit de monter la grande côte plus tard qu'à l'accoutumée mais il n'était pas très rassuré. Dans la montée, rendu à mi-chemin, il s'aperçut qu'une boule de feu roulait en sautillant et se rapprochait de sa voiture. Il eut beau fouetter son cheval, le feu-follet le rattrappait.

Lorsque l'objet enflammé toucha presque l'arrière du véhicule, grand-père se recommanda à Dieu et s'empara de son fouet. Il se pencha vers l'arrière, puis il en asséna un bon coup au milieu du feu-follet. Dans un pétillement d'étincelles, la boule se sépara en deux et un homme nu à cheveux roux émergea. Aussitôt le survenant se cacha la figure et détala à la course, prenant à travers les champs. Grand-père entendit l'homme hurler de douleur; il s'était en effet élancé à travers un abatis rempli de chardons et de rosiers sauvages.

Grand-père a toujours prétendu qu'il s'agissait du «Rouget à Nicolas», un ancien cavalier de ma grand-mère. Mais grand-mère ne voulait rien entendre de cela, elle disait que «Rouget» était bien trop «monsieur» pour se promener dans le chemin les fesses à l'air.

14.   Le beau danseur du rang des côteaux.
huile sur toile; 11 X 14; 1985

Les danseurs d'un rang mal famé
sont visités par le diable.

SAINT-MAJORIQUE-DE-GRANTHAM

Le curé avait beau défendre sévèrement de danser, les habitants du rang des côteaux conservaient toujours leur renommée de fêtards. Un samedi d'hiver, les jeunesses avaient fait boucherie en corvée; et s'étant réchauffés toute la journée au caribou, ils étaient arrivés au soir passablement «émêchés».

Le souper qui regroupa les participants se termina par des chansons à boire et l'on rangea bientôt la table pour libérer la «place». La veillée promettait: trois bons violoneux étaient de la partie. Heureusement que les voitures chargées de danseuses arrivèrent tôt, car la neige se mit à «tomber à pelletées» et les chevaux en perdaient leur route.

Ce ne fut pas long avant que toute la maisonnée vibre aux accents rythmés de la musique. Mais la grand-mère, elle, n'aimait guère ces soirées où se glissaient toujours quelques garçons étrangers. Ce soir-là justement, un beau danseur, arrivé sur le tard, faisait tourbillonner les jeunes filles avec une ardeur peu coutumière. La méfiance de la grand-mère augmenta vers minuit, lorsqu'elle le vit grimacer en passant devant le crucifix fixé au mur. Pour en avoir le coeur net, elle lui subtilisa son verre de caribou et le remplaça par un grand verre d'eau bénite.

Ce fut la fin de la soirée lorsque, d'un trait, le beau danseur vida son verre. Il prit alors une mine diabolique; des cornes lui apparurent de chaque côté de la tête et ses yeux devinrent flamboyants. La musique s'arrêta net et le diable s'élança vers la porte qu'il défonça pour s'échapper.

Les premiers danseurs à sortir eurent le temps de voir le cheval diabolique l'emmener à vive allure pour ensuite disparaître dans la forêt.

15. Le cheval du curé marche sur l'eau
huile sur toile; 14 X 18; 1985

Un curé qui se rend porter
les sacrements à un malade passe sur l'eau claire.

ARTHABASKA

Par un soir du mois d'avril, alors que le curé d'Arthabaska fumait calmement sa pipe avant d'aller se coucher pour la nuit, il entendit frapper à la porte. Il reconnut le fils d'un colon malade qui demeurait au fond de la paroisse. «Le messager a dû venir à la course se dit-il car il est exténué».

Pourtant, le jeune homme lui dit être parti depuis longtemps pour venir chercher le prêtre qui administrerait le sacrement d'extrême-onction à son père; mais son cheval ne voulait pas avancer et lui avait échappé à quelques reprises.

Le curé attela son propre cheval et il se mit aussitôt en route. Mais voici que ce cheval-là, lui non plus, ne voulait pas trotter, qu'il cassa ensuite son attelage pour finalement se blesser à une patte. Le jour arriva avant que le voyageur n'ait encore atteint la rivière.

Lorsqu'enfin arriva le moment de franchir la rivière sur la glace, le curé s'aperçut qu'elle était «à l'eau claire». Pourtant, le midi, il l'avait bien vue recouverte de glace. Le prêtre réalisa alors que c'était le Malin qui mettait tout en oeuvre pour que le malade meure sans se confesser. A partir de ce moment, tout changea: l'abbé sortit son crucifix de sous sa soutane et l'éleva à bout de bras; aussitôt le cheval partit au galop, descendit l'écart de la rivière et s'élança sur les eaux qui prirent l'aspect d'un champ de glace. Et c'est ainsi qu'il réussit à atteindre le moribond quelques minutes seulement avant qu'il n'expire.

16.   Une fée visite les bûcherons
huile sur toile; 12 X 14; 1986

Une fée apparaît alors qu'un homme
raconte un récit merveilleux.

SAINT-ADRIEN-D'IRLANDE

Dans les camps de bûcherons, on passait les soirées à se raconter des histoires de rois, de reines et de princesses, ou encore à se remémorer des faits vécus comme les visites que faisaient jadis les revenants aux vivants. Mais il se trouvait parfois des «incrédules» chez les bûcherons et le conteur devait alors redoubler d'ardeur.

Le défunt Joseph Ouellet, un conteur «dépareillé» à qui c'était le tour de s'asseoir sur le «billochet», se mit à raconter les apparitions que faisait parfois une grosse et grande fée blanche aux habitants du village. «Un homme qui a le secret, disait-il, peut la commander, et elle vient».

Mais le défunt Joseph se fâcha car des bûcherons s'opposaient à ses dires, allant jusqu'à se moquer de lui. Alors, il se tourna vers la porte qu'il regarda fixement puis il dit: «Toi, ma vieille, assis sur ton trône éclatant, avec ta couronne d'or sur la tête, viens ici rendre visite à mes amis».

Il se fit un silence pesant dans le camp, et tous tournèrent la tête vers la porte. Et c'est à ce moment qu'une «belle créature qui ressemblait à la reine Victoria» apparut dans l'entrée, portant un diadème de diamants et brandissant une baguette magique. Elle regarda le défunt Joseph Ouellet et lui dit: «Appelle-moi plus jamais «la vieille», parce que je ne bougerai pas de mon trône; je suis la belle fée d'Irlande qui vient au secours des conteurs».

Le reste de l'hiver se passa sans problèmes, mais les bûcherons n'osèrent plus jamais défier le défunt Joseph.

17.   Les diables assistent au service religieux d'un damné
huile sur toile; 12 X 16; 1986

Les diables viennent cueillir le corps d'un homme
qui s'est vendu au diable.

SAINT-JACQUES-DE-LEEDS

Ce soir-là, comme il le faisait d'habitude après avoir laissé mourir un patient, le médecin cuva son vin tard dans la nuit. Dans ses moments de découragement, il revoyait sa jeunesse passée à boire plutôt qu'à étudier; et surtout, il regrettait de ne pas avoir suffisamment d'argent pour s'amuser.

Le jour était à la veille de poindre lorsqu'il entendit frapper à la porte. Il n'eut même pas besoin de se lever pour ouvrir car aussitôt qu'il eut dit «Entrez», le diable était à ses côtés lui faisant une proposition: «Prends cette boursette d'argent, tu auras tout ce que tu souhaites pendant dix ans; mais à la fin de la dizième année je viendrai chercher ton âme».

Cette décennie lui parut bien courte, et un soir il dit à son valet d'aller lui quérir une volaille et le meilleur des vins pour fêter son dernier jour sur terre.

Le lendemain matin, le valet mit le corps du médecin dans un cercueil qu'il fit transporter à l'église. Tout le temps du service religieux, le curé tint le ciboire auprès de lui, comme pour se garantir de Satan qu'il savait caché dans le corbillard à la porte de l'église. Le prêtre eut beau prier, il était trop tard pour sauver l'âme du damné.

Pendant la messe, des diables sautillaient de joie autour de l'église, et lorsque le cercueil du médecin fut sorti, quatre démons s'en emparèrent pour l'enlever directement dans les airs.

18.   Le sabbat du chemin Saint-Etienne
huile sur toile; 11 X 14; 1985

Le cheval prend peur en apercevant
un groupe de petits diables qui dansent.

TROIS-RIVIERES

Louis annonça à sa femme qu'il avait vendu une grosse charge de bois de chauffage et que cela lui avait rapporté assez d'argent pour l'amener aux Trois-Rivières fêter avec lui. Rendus sur les lieux vers midi, ils passèrent leur temps, elle, à magasiner, et lui, à boire et à s'amuser avec de vieilles connaissances. Louis avait dit à sa femme qu'il reviendrait la chercher chez sa cousine Maria à l'heure du souper. Mais voilà que la noirceur était prise depuis longtemps et que Louis n'arrivait toujours pas. Ce n'est finalement que vers minuit qu'il arriva, mais dans quel état! Il était ivre, au point que son épouse jugea bon de le laisser se reposer pendant une «couple d'heures» avant de se mettre en route.

Ils repartirent vers trois heures de la nuit, mais comme elle était fatiguée, elle s'endormit en route; lui, encore grisé, abandonna à son cheval le choix des routes à prendre. Ils allaient se souvenir toute leur vie de l'aventure qui s'en suivit. Le cheval laissé libre descendit au galop la grande côte du chemin Saint-Etienne, et lorsqu'il arriva à la clairière, il aperçut un sabbat de petits diables qui dansaient autour d'un feu. La bête prit peur et bondit de côté pour s'éloigner de ces petits êtres malveillants. Malheureusement, la voiture se renversa et quand ils s'éveillèrent, ils se retrouvèrent dans le clos parmi les débris du véhicule, et à moins d'un arpent du sabbat.

Depuis ce jour-là, lorsqu'un homme se relève difficilement après s'être enivré, on dit qu'il a rencontré les diables du sabbat au pied de la grande côte du chemin Saint-Étienne.

19. La vente de la poule noire
huile sur toile; 16 X 20; 1985

Un homme donne son âme au diable
en vendant une poule noire à l'encan.

Jérôme avait une grande armoire pleine de livres défendus; c'étaient des bûcherons des Etats-Unis qui les lui vendaient lorsqu'ils travaillaient ensemble en hiver dans les chantiers. Tout le reste de l'année il passait ses soirées à lire *le Petit Albert*, *les Véritables clavicules de Salomon*, *le Grand Grimoire*, etc.

Il avait déjà expérimenté certaines des recettes magiques trouvées dans ses livres; on l'avait vu, à la tombée de la nuit, se promener dans les champs avec une bouteille pleine de mouches à feu dans le but de repérer des trésors cachés. Même qu'il avait un jour déterré le squelette d'un pendu pour s'emparer de sa main gauche qui, paraît-il, devait posséder des vertus diaboliques.

Mais c'est sa tentative de vendre à Satan une poule noire à l'encan qui resta célèbre. Il avait pourtant respecté les conditions: ne pas s'être confessé depuis sept ans, se rendre pendant une nuit de pleine lune à une fourche de chemin en tenant la poule noire au-dessus de sa tête, etc.

Mais Jérôme n'avait pas remarqué qu'il faisait face à une croix de chemin au moment de faire virevolter sa poule noire qu'il retenait avec une corde. Il commença ainsi: «Belzébuth je te donne mon âme si tu veux acheter ma poule noire. Mille piastres! Une fois, deux fois, trois fois. Vendue!» Satan s'amena, mais lorsqu'il aperçut la croix de chemin, il disparut comme un éclair. Du coup, la poule s'abattit avec force sur la tête de Jérôme qui perdit connaissance. Quand il s'éveilla le matin, il raconta à ceux qui riaient de lui qu'il avait quand même trouvé un oeuf en or dans son chapeau.

20.   Deux hommes forts des Forges
huile sur toile; 12 X 16; 1985

Edmond Michelin se bat avec les ours
et Edouard Tassé boit du métal en fusion.

FORGES SAINT-MAURICE

Edouard Tassé avait «double estomac», aussi pouvait-il boire à pleine tasse du métal en fusion. Contremaître fort apprécié des travailleurs des Forges Saint-Maurice, il était l'ennemi voué de Satan qu'il «battait aux poings» une couple de fois par année.

Alors qu'il dansait à la noce d'un de ses employés, on entendit frapper avec force à la porte. «Ne dérangez rien, dit-il, je sors m'en charger». C'était le diable, et Tassé se battit avec lui pendant un bon quart d'heure. Lorsqu'il rentra, il avait le corps couvert de sang. «Il a manqué à sa parole, dit-il, il s'est servi de ses griffes. Mais je lui ai quand même fait me demander pardon».

Edmond Michelin coupait le bois nécessaire à chauffer le haut fourneau des Forges, mais déployait pour cela bien peu d'efforts puisqu'il «ensorcelait ses outils» qui travaillaient sans lui. Assis sur un corps d'arbre, Michelin regardait bûcher sa hache et scier sa scie. Lorsqu'il décidait de se rendre à Québec ou à Montréal, il se plaçait sur la voie ferrée et arrêtait les «chars». Si le conducteur voulait regimber, Michelin empêchait le train de redémarrer.

Mais Michelin était surtout renommé pour ses batailles avec des ours; quand il avait terrassé l'animal, il le chevauchait à travers les rues du village pour épater ses concitoyens.

21. Le géant Tranchemontagne
huile sur toile; 11 X 14; 1985

Un géant accomplit des tâches impossibles
et scie des montagnes de pierre.

SHAWINIGAN

Jadis Tranchemontagne, un géant d'une force extraordinaire, avait établi ses quartiers dans les bois de Shawinigan. Les bûcherons passaient parfois dans une forêt et le lendemain, ils ne reconnaissaient plus les lieux; dans la nuit, tous les arbres avaient été coupés, les souches arrachées, et à la place, un champ avait été semé en blé. De même, il pouvait transformer du jour au lendemain une rivière d'eaux mortes obstruée par des rochers et des herbages en eaux limpides où les poissons sautaient de joie.

Il était même capable, dit-on, en soufflant fortement dans une vallée, d'y chasser les maringouins qui s'acharnaient à piquer les orignaux et les chevreuils.

Lorsqu'il voulait ébrancher un arbre, il lançait sa hache dans les airs en la faisant virevolter, et les branches tombaient empilées à ses pieds.

Une autre de ses actions remarquables fut d'avoir élevé un barrage sur la rivière Shawinigan. Il s'était fabriqué une longue scie qu'il actionnait à grande vitesse et il avait débité une montagne de pierre en quartiers. Cette fois-là, c'étaient les fourmis qui l'avaient aidé: elles avaient transporté les morceaux de rocher dans la rivière.

Un printemps, alors que tous les hommes étaient partis à la drave, il y avait eu un «gros coup d'eau» qui avait emporté l'écluse du moulin à farine. Pour ne pas que les femmes et les enfants manquent de pain, Tranchemontagne rassembla tous les castors des environs, et dans une nuit, ils remontèrent «la plus belle chaussée que la terre n'avait pas portée».

22. La création de la rivière Saint-Maurice
huile sur toile; 12 X 16; 1985

Avant de mourir, un Amérindien creùse la rivière
à travers la terre ferme.

HAUT-SAINT-MAURICE

Comme il était coutume depuis des décennies, un vieil Indien, sentant venir la fin de ses jours, alla s'isoler dans les grands bois. Là, seul, il rencontrerait l'esprit de la mort.

Il était parti tôt le matin dans son canot, et avait atteint, le soir, le lieu choisi par lui depuis longtemps. A la nuit noire, enveloppé dans une couverture devant un feu qui, lui aussi, agonisait, il attendait.

Soudain il fut entouré par une bande de loups affamés qui attendaient que le feu se consume pour déchiqueter le vieillard. Alors, apeuré et regrettant ses forces perdues, il invoqua le mauvais manitou, offrant son esprit s'il lui rendait sa jeunesse et sa force. «Très bien dit le manitou du mal, je te redonnerai ta vigueur de vingt ans, mais tourne la pointe de ton canot vers le soleil levant et pagaie à travers les terres qui s'ouvriront pour te laisser passer. Lorsque tu atteindras le fleuve Saint-Laurent, alors, tu mouras».

Il voyagea ainsi pendant deux lunes, mais quand il vit qu'il se rapprochait du grand fleuve, il commença à serpenter, pensant ainsi allonger sa vie. Dès qu'il atteignit le fleuve, son canot chavira pourtant, l'emportant dans l'onde.

Voici pourquoi la rivière Saint-Maurice fait tant de détours avant de se jeter dans le fleuve Saint-Laurent.

23.   Le dernier loup-garou
huile sur toile; 12 X 14; 1986

Un Attikamek loup-garou pourchasse les siens
et s'enfonce dans le feu.

HAUT-SAINT-MAURICE

Parce que Maskanawidj avait fait une mauvaise vie de jeunesse, le Windigo lui avait jeté un sort: celui de courir le loup-garou tous les hivers. Lorsqu'arrivaient les neiges, il sortait le soir pour revenir sous la forme d'un loup et jusqu'au printemps, il ne cessait de semer la terreur dans le village.

Un jour son fils, craignant que le loup-garou n'attaque son jeune enfant, décida de s'en aller très loin avec le petit. Ainsi, Maskanawidj les perdrait de vue pour toujours.

Après avoir traversé de grandes plaines, le fils se cacha dans une hutte profondément enfouie sous la neige. Le loup-garou fit alors un pacte avec le Windigo et il lui dit: «Montre-moi le chemin qu'ont suivi mon fils et son enfant, et ensuite tu pourras m'emporter». «Marché conclu, dit le Windigo, prends ta canne et demande-lui la route à suivre».

La canne se coucha par terre en direction de la cachette du fils, et il partit. Un matin, au fur et à mesure qu'il avançait, la neige fondit sous ses pas; le soir même, il avançait dans de l'eau bouillante et vers minuit, il s'enfonça dans une mer de feu.

On n'entendit plus jamais parler du loup-garou par la suite. Quant au fils et à son enfant, on sait qu'ils sont revenus, puisque leur lignée s'est perpétuée: leurs descendants racontent toujours l'histoire de leur grand-grand-grand-père.

24.   L'enfant dans la lune
huile sur toile; 8 X 10; 1985

Un jeune Attikamek abandonne ses parents
et s'en va dans la lune.

HAUT-SAINT-MAURICE

Un couple, déjà avancé en âge, désespérait d'avoir un enfant, aussi demandèrent-ils à un Indien de «faire le Walbano», c'est-à-dire de s'enfermer dans une cabane pour communiquer avec les esprits afin de s'enquérir auprès d'eux s'ils connaîtraient le bonheur d'accueillir un enfant avant leur mort. Ceux-ci leur révélèrent de ne pas désespérer, qu'ils avaient vu un bébé dans un songe. La prédiction se réalisa: un jour, le vieil homme trouva un tout jeune enfant abandonné en forêt et l'amena à son épouse. Mais lorsque l'enfant grandit, il s'ennuya et cherchait toujours des petits amis pour s'amuser avec eux. Un soir, alors que ses parents adoptifs dormaient, il se rendit près d'un lac pour jouer et parler aux poissons qui sautaient pour gober des mouches.

Il fut alors ravi par la nappe d'eau sur laquelle la lune étendait un beau ruban jaune et il pensa qu'il serait plaisant d'aller rendre visite à la belle boule jaune.

Il avança lentement sur le reflet doré posé sur l'eau, puis il gravit peu à peu la pente qui le conduisit à la lune. Il passa là la nuit à jouer avec un merveilleux lutin venu jusqu'à lui, mais lorsqu'il voulut retourner chez ses parents, le jour était venu et sa route avait disparu.

Le vieux couple eut beaucoup de peine et ils cherchèrent longtemps leur fils. Pour les consoler cependant, celui-ci descendait de la lune, la nuit, et venait leur sourire. Il tentait même de les emmener avec lui, mais les vieux époux ne voulurent pas entreprendre un tel voyage.

Il ne revint plus jamais après la mort de ses parents mais il s'amuse toujours dans la grosse boule jaune avec son ami.

25.   Le petit homme astucieux
huile sur toile; 8 X 10; 1985

Un petit homme attikamek se promène sur une flèche
et prend le soleil au collet.

HAUT-SAINT-MAURICE

Tchakalish, qui demeurait seul avec sa soeur, était un tout petit homme agile et rusé; il passait son temps à siffler et à jouer des tours et ne chassait jamais. Un jour, sa soeur lui dit: «Je veux me marier; prenons chacun une route différente pour me chercher un époux». Tchakalish rencontra d'abord Kamichat, un géant qui n'aimait pas être dérangé. Il se mit en colère lorsque Tchakalish arriva sur son territoire en sifflant pour le faire venir.

— «Tais-toi, petit laid, ou je te lance une flèche».
— «Tu es bien plus laid que moi», répondit le petit homme.
— «Tiens, prends cela», dit le géant en lui lançant une grosse flèche. Mais Tchakalish, très agile, sauta à cheval sur la flèche juste au moment où elle passait à ses côtés et il fit ainsi un beau tour dans les airs.

Cherchant encore à jouer des tours, il arriva à une hutte et y découpa en lanières une peau d'orignal qu'un Indien voulait transformer en mocassins, puis il siffla pour se manifester. Furieux, ce dernier le pourchassa; mais il s'échappa en sautant sur une branche de sapin qui lui servit d'embarcation pour traverser le lac.

Arrivé sur la rive opposée, il n'y trouva que des huttes vides; pas même un animal. Comme il n'y avait personne à qui jouer des tours, il décida de fixer un grand collet sur une montagne pour attraper le soleil. Dès que le soleil se fut engagé dans le collet, il tira vivement sur la corde qu'il tenait en main. Il fit aussitôt très sombre et Tchakalish, en voulant retourner chez lui, tomba dans un grand trou noir. Cherchez ce lieu où le soleil ne se lève plus jamais et vous y retrouverez le petit homme qui sifflait.

BIBLIOGRAPHIE

Références pour chacune des légendes

1. R.C., «Les lutins» *Le Terroir*, vol. 10, no VI, mars 1926, p. 198 et 201.
   Archives de Folklore, Université Laval, Québec, enreg. 13, coll. M. Lemay.
2. Alphonse Leclaire, *Le Saint-Laurent, historique, légendaire et topographique*, Québec, Ministère de l'Agriculture, 1900, 254 pages (pp. 26-27).
   A.F., Université Laval, Québec, enreg. 107, coll. N. Lafleur et L. Ouellet.
3. Société historique du centre du Québec, Drummondville, enreg. 1979-006-01 (Le trésor du Lac Saint-Pierre).
   A.F., Université Laval, Québec, enreg. 103, coll. G. Lapointe.
4. Jacques Dorion, *Le folklore oral des Forges du Saint-Maurice*, Québec, Parcs Canada, 1977, 133 pages (p. 67).
   Frank G. Speck, *Penobscot Man*, N.Y., Octagon Books, 1976, 325 pages (pp. 219-220).
5. Frank G. Speck, *Penobscot Man*, (pp. 224-225).
   H.L. Masta, *Abenaki Indian Legends, Grammar and Places Names*, Victoriaville, La voix des Bois-Francs, 1932, 110 pages (pp. 15-24).
6. S.H.C.Q., Drummondville, enreg. 1979-006-01 (La chasse-galerie).
   A.F., Université Laval, Québec, enreg. 22, coll. M. Barnard.
7. Alfred Désilets, *Souvenirs d'un octogénaire*, Trois-Rivières, P.R. Dupont, 1922, 159 pages (pp. 41-44).
   A.F., Université Laval, Québec, enreg. 147, coll. S.M. Sainte-Hélène.
8. A.F., Université Laval, Québec, enreg. 13, coll. R. Lafond.
   A.F., Université Laval, Québec, enreg. 23, coll. J. Lacerte.
9. Alfred Désilets, *Souvenirs d'un octogénaire, (pp. 44-46)*.
   A.F., Université Laval, Québec, enreg. non catalogué, coll. E. Descôteaux.
10. Frank G. Speck, *Penobscot Man*, (pp. 216-223).
    H.L. Masta, *Abenaki Indian Legends, Grammar and Places Names*, (pp. 15-49).
11. F.L. Lemay, *Monographie de Saint-Jean-Baptiste de Deschaillons*, Québec, Laflamme, 1934, 245 pages (pp. 137-140).

A.F., Université Laval, Québec, ms. 81, coll. A. Paradis.

12. S.H.C.Q., Drummondville, enreg. 1979-003-01 (La petite fille possédée).

    A.F., Université Laval, Québec, enreg. 12-454, coll. J.C. Dupont.

13. S.H.C.Q., Drummondville, enreg. 1979-002-01 (Le diable dans la roue).

    A.F., Université Laval, Québec, enreg. 147, coll. S.M. Sainte-Hélène.

14. A.F., Université Laval, Québec, enreg. 15, coll. R. Lafond.

    A.F., Université Laval, Québec, enreg. 22, coll. G. Martineau.

15. Roclef, «Deux légendes des Cantons de l'Est», *Revue de Montréal*, Tome I, 1877, pp. 679-689.

16. A.F., Université Laval, Québec, enreg. 12, coll. P. Lambert.

    A.F., Université Laval, Québec, enreg. 23, coll. L. Lacourcière et P. Couture.

17. Jean-Claude Dupont, *Le légendaire de la Beauce*, Montréal, Leméac, 1978, 197 pages (pp. 170-173).

    A.F., Université Laval, Québec, enreg. 33, coll. G. Martineau.

18. Moisette Olier, *Etincelles*, Trois-Rivières, Editions du Nouvelliste, 1936, (pp. 57-59).

    Napoléon Caron, *Légendes des Forges Saint-Maurice*, Trois-Rivières, Editions du Bien Public, 1954, 132 pages (p. 21).

19. A.F., Université Laval, Québec, enreg. 12, coll. M. Lemay.

    A.F., Université Laval, Québec, enreg. 12-452, coll. J.-C. Dupont.

20. Thomas Boucher, *Mauricie d'autrefois*, Trois-Rivières, Editions du Bien Public, 1952, p. 114.

    Napoléon Caron, *Légendes des Forges Saint-Maurice*, (pp. 31-32).

21. A.F., Université Laval, Québec, ms. 53-54, coll. L. Paillé-Cossette.

    A.F., Université Laval, Québec, ms. 59 et 61, coll. L. Paillé-Cossette.

22. J.-R. Ringuette, «La naissance de la Rivière Saint-Maurice», Cap-de-la-Madeleine, 1985, 3 pages manuscrites.

23. Dollard Dubé, *Légendes indiennes du Saint-Maurice*, Trois-Rivières, Les Pages trifluviennes, Série C, no 3, 1933, 79 pages (pp. 22-26).

24. Dollard Dubé, *Légendes indiennes du Saint-Maurice*, (p. 16).

25. Dollard Dubé, *Légendes indiennes du Saint-Maurice*, (pp. 12-15).

INDEX

SOREL

1. Les lutins des Iles
huile sur toile; 18 X 24; 1986

La nuit, des petits êtres fantastiques volent les chevaux dans les écuries et leur tressent la crinière.

SAINT-PIERRE-DE-SOREL

2. Le cheval changé en serpent
huile sur toile; 8 X 10; 1985

Le cheval qui a charroyé la pierre de l'église se transforme en serpent.

LONGUE-POINTE (LAC SAINT-PIERRE)

3. Le trésor volé par le diable
huile sur toile; 12 X 16; 1985

Le diable garde les trésors cachés et s'en accapare si on les trouve.

ODANAK

4. L'enfant adopté par des ours
huile sur toile; 10 X 14; 1985

Un enfant abénakis perdu par ses parents est retrouvé dans une grotte d'ours.

ODANAK

5. La naissance des esturgeons
huile sur toile; 9 X 12; 1985

Le grand manitou des Abénakis taille le rocher et laisse passer le père des esturgeons.

BAIE-DU-FEBVRE

6. La chasse-galerie sur le village
huile sur toile; 18 X 24; 1984

Un canot chargé de bûcherons vole au-dessus du village.

NICOLET

7.   Le feu-follet du canotier
huile sur toile; 11 X 14; 1985

Un canotier revenant du moulin à farine est attaqué par un feu-follet.

SAINT-GREGOIRE

8.   La grand-mère qui délivre ses voisins
huile sur toile; 9 X 12; 1986

Deux hommes transformés en loups-garous sont délivrés par une grand-mère qui veut défendre son mari.

BECANCOUR

9.   Le loup-garou des campagnards
huile sur toile; 14 X 18; 1985

Un animal qui marche debout pourchasse les gens attardés sur la route.

BECANCOUR

10.   La famille transformée en baleines
huile sur toile; 10 X 14; 1985

Un père abénakis et ses filles privés d'eau à boire se transforment en baleines.

DESCHAILLONS

11.   Les souliers du géant Mailhot
huile sur toile; 8 X 10; 1985

Les enfants du géant Mailhot glissent dans les souliers de leur père.

SAINT-ZEPHIRIN

12.   La jeune fille exorcisée par le curé
huile sur toile; 11 X 14; 1985

Le curé du village fait sortir le démon du corps d'une jeune fille.

SAINT-CELESTIN

13.   Le feu-follet de la grande côte
huile sur toile; 12 X 16; 1985

Une boule de feu pourchasse les passants; il en sort un homme nu.

SAINT-MAJORIQUE-DE-GRANTHAM

14. Le beau danseur du rang des côteaux
huile sur toile; 11 X 14; 1985

Les danseurs d'un rang mal famé sont visités par le diable.

ARTHABASKA

15. Le cheval du curé marche sur l'eau
huile sur toile; 14 X 18; 1985

Un curé qui se rend porter les sacrements à un malade passe sur l'eau claire.

SAINT-ADRIEN-D'IRLANDE

16.   Une fée visite les bûcherons
huile sur toile; 12 X 14; 1986

Une fée apparaît alors qu'un homme raconte un récit merveilleux.

SAINT-JACQUES-DE-LEEDS

17.   Les diables assistent au service religieux d'un damné
huile sur toile; 12 X 16; 1986

Les diables viennent cueillir le corps d'un homme qui s'est vendu au diable.

TROIS-RIVIERES

18.   Le sabbat du chemin Saint-Etienne
huile sur toile; 11 X 14; 1985

Le cheval prend peur en apercevant un groupe de petits diables qui dansent.

CAP-DE-LA-MADELEINE

19.   La vente de la poule noire
huile sur toile; 16 X 20; 1985

Un homme donne son âme au diable en vendant une poule noire à l'encan.

FORGES SAINT-MAURICE

20.   Deux hommes forts des Forges
huile sur toile; 12 X 16; 1985

Edmond Michelin se bat avec les ours et Edouard Tassé boit du métal en fusion.

21. Le géant Tranchemontagne
huile sur toile; 11 X 14; 1985

Un géant accomplit des tâches impossibles et scie des montagnes de pierre.

22. La création de la rivière Saint-Maurice
huile sur toile; 12 X 16; 1985

Avant de mourir, un Amérindien creuse la rivière à travers la terre ferme.

23. Le dernier loup-garou
huile sur toile; 12 X 14; 1986

Un Attikamek loup-garou pourchasse les siens et s'enfonce dans le feu.

24. L'enfant dans la lune
huile sur toile; 8 X 10; 1985

Un jeune Attikamek abandonne ses parents et s'en va dans la lune.

25. Le petit homme astucieux
huile sur toile; 8 X 10; 1985

Un petit homme attikamek se promène sur une flèche et prend le soleil au collet.

MARQUIS
Montmagny, Qc
mai 1992